Disney

Rox et Rouky

Tendre amitié

Phidal

Ce livre d'autocollants, conçu pour
les enfants de 3 ans et plus, propose
des activités simples et amusantes
qui permettront à votre enfant de
découvrir le monde attachant
de Rox et Rouky.

De plus, ce livre pratique et ses autocollants
repositionnables se prêtent à de multiples usages.
Après avoir complété tous les jeux de l'album,
l'enfant peut donc créer sa propre histoire en
réutilisant les divers autocollants.

Produit et publié par les Éditions Phidal inc.
5740 Ferrier, Montréal, Québec, Canada H4P 1M7
ISBN: 2-7643-0593-1

Imprimé en Italie
www.phidal.com

*Demande à un adulte de t'aider à
détacher les pages d'autocollants.*

À la découverte des personnages

Réponds aux questions à l'aide de tes autocollants.

Qui trouve un petit renard perdu dans la forêt ?

Qu'utilise Big Mama pour conduire la Veuve Tartine jusqu'à Rox ?

Qui adopte Rox ?

Qui est le voisin de la Veuve Tartine ?

Qui apprend à Rouky à chasser ?

Souvenirs d'enfance

Parmi les autocollants, trouve le portrait de chaque personnage quand il était petit.

À chacun son empreinte !

Trouve la trace laissée par chaque animal.

Amusons-nous à la ferme !

Quelle pagaille dans la ferme de la Veuve Tartine ! Complète la scène avec tes autocollants.

©Disney

©Disney

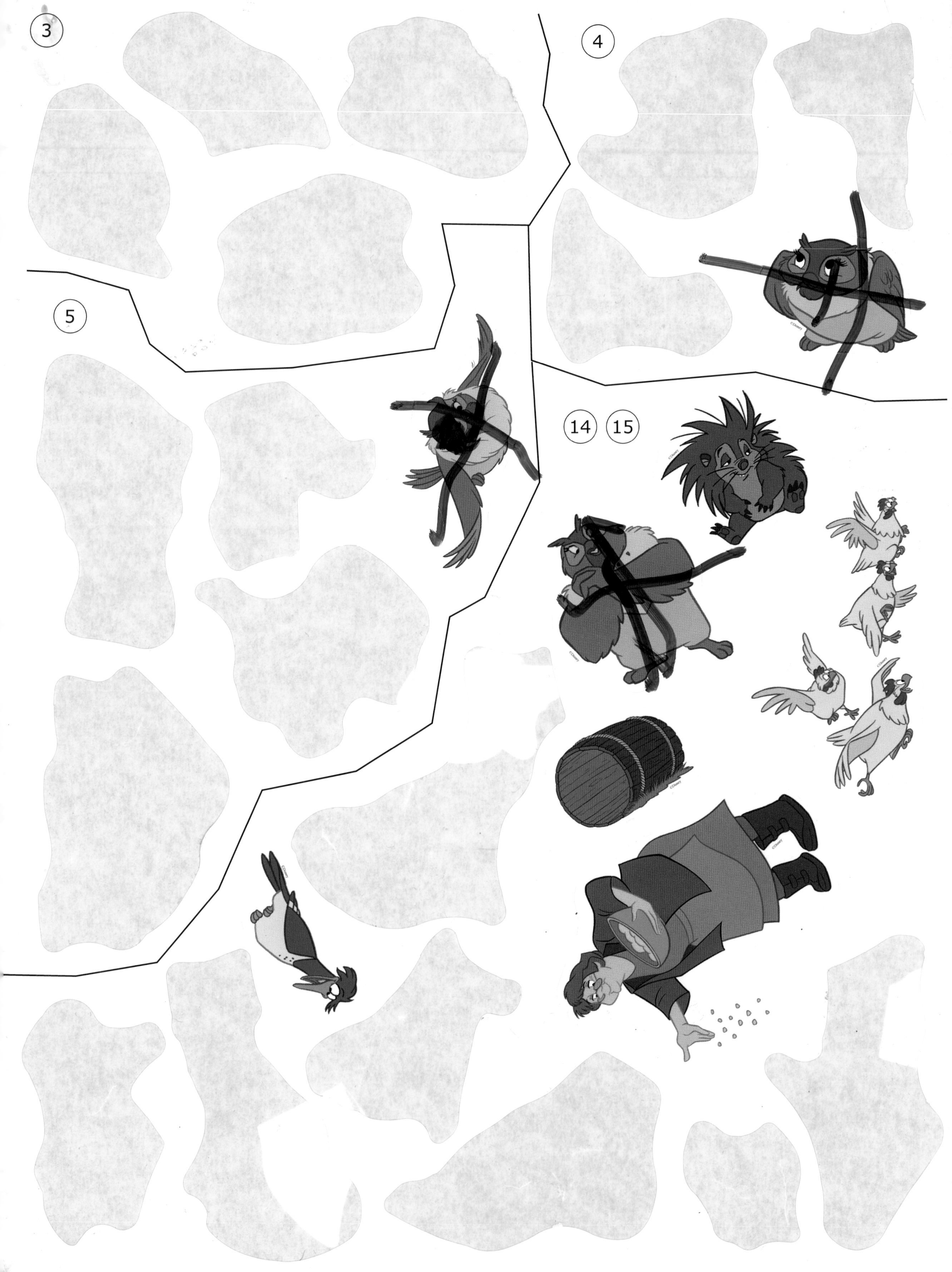
3
4
5
14
15

12 13

6 11

16

Les contraires s'assemblent

Utilise tes autocollants pour compléter les associations.

Ami

Ennemis

Au-dessus

En-dessous

En panne

Réparé

Homme

Femme

Petit

Grand

Heureux

Triste

Devant

Derrière

Un

Plusieurs

Courageux

Peureux

Seul

Ensemble

La vie dans la forêt…

Décore la forêt avec des objets, des gens et des animaux.

… et la vie à la ferme

Décore cette scène avec tes autocollants.

Exerçons-nous avec les séries

Complète les séries à l'aide de tes autocollants.

Du plus nombreux au moins nombreux

De face ou de dos

Du plus petit au plus grand